Données de catalogage avant publication (Canada)

O'Neil, Jean

L'île Sainte-Hélène

Comprend des réf. bibliogr.

ISBN 2-89428-521-3

1. Sainte-Hélène, Île (Communauté urbaine de Montréal, Québec). 2. Sainte-Hélène, Île (Communauté urbaine de Montréal, Québec) - Histoire. 3. Sainte-Hélène, Île (Communauté urbaine de Montréal, Québec) - Ouvrages illustrés. I. Brunet, Pierre Phillipe. II. Titre.

FC2947.65.O53 2001   971.4'28   C2001-941356-4   F1054.5.M87S24 2001

Les Éditions Hurtubise HMH bénéficient du soutien financier des institutions suivantes pour leurs activités d'édition :

Gouvernement du Canada par l'entremise du Programme d'aide au développement de l'industrie de l'édition (PADIÉ)
Conseil des Arts du Canada
Société de développement des entreprises culturelles au Québec (SODEC).

Conception graphique et montage : Olivier Lasser
Révision : Monique Thouin

Éditions Hurtubise HMH Ltée
1815, avenue De Lorimier
Montréal (Québec)
Canada H2K 3W6
Tél. : (514) 523-1523
Courriel : edition.litteraire@hurtubisehmh.com
www.hurtubisehmh.com

ISBN 2-89428-521-3

Dépôt légal : 3e trimestre 2001
Bibliothèque nationale du Québec
Bibliothèque nationale du Canada

Toutes les photos du livre sont de Pierre Phillipe Brunet sauf indications contraires.

L'Île Sainte-Hélène

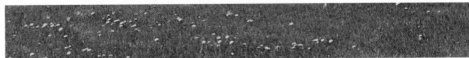

L'Île Sainte-Hélène

Jean O'Neil

Photos de Pierre Phillipe Brunet

HURTUBISE
HMH

TABLE DES MATIÈRES

Deux histoires d'amour

I

Le 27 décembre 1610, à l'âge de quarante ans, Samuel de Champlain signe un contrat de mariage avec une jeune fille de douze ans, Hélène Boullé, mais à cause du jeune âge de la demoiselle, il est spécifié que la vie commune ne commencera que deux ans plus tard. Les fiançailles ont lieu le 29, ce qui permet à Champlain de toucher 4 500 des 6 000 livres de la dot, et la bénédiction nuptiale leur est donnée le 30, en l'église Saint-Germain-l'Auxerrois à Paris.

Le 1er mars 1611 Champlain repart pour l'Amérique, arrive le 21 mai à Québec qu'il avait fondée en 1608 et continue bientôt de remonter le fleuve pour tenter ce que Jacques Cartier n'avait pu faire en 1535, franchir «le grand sault Saint-Louis», plus tard appelé les rapides de Lachine, où il arrive le 28 mai. Il en est incapable avec les embarcations dont il dispose et doit se contenter d'explorer le site et d'entamer le défrichement de ce qui deviendra Montréal quarante-quatre ans plus tard.

Devant lui, «Au milieu du fleuve y a une isle d'environ trois quarts de lieues de circuit, capable d'y bastir une bonne et forte ville, et l'avons nommée l'isle de saincte Elaine.»

Amour de son épouse ou reconnaissance pour la dot, quatre mois jour pour jour après son mariage, c'est le premier toponyme donné par Champlain en ce nouveau voyage.

II

Le tableau de Jean-Paul Lemieux, *1910 remembered*, représente assez bien, je suppose, ce que fut ce pique-nique à l'île Sainte-Hélène où mon père allait rencontrer pour la première fois celle qui fut ma mère.

C'était à l'été de la première Guerre mondiale, 1914. Maman et sa sœur avaient été invitées par leur tante maternelle, tante Joséphine, et son mari Alfred, lui, avait invité sa cousine, ma grand-mère paternelle, ainsi que sa fille et son fils, mon père.

Je les imagine. Ample chapeau de paille, taille corsetée sous la longue robe vaporeuse et bottines lacées chez ces dames. Pour les messieurs, c'était plutôt le canotier ou la casquette de marinier, le veston léger, ouvert sur la chemise et le pantalon droit, comme dans d'autres tableaux, *Un après-midi à la Grande Jatte* de Seurat, par exemple. Sur le pont du vapeur qui les emmenait du quai Victoria, à Montréal, au débarcadère de l'île, le *Garden City,* les familles papotaient discrètement, dames assises sur les banquettes, enfants agités dans des habits trop beaux pour une fête champêtre, messieurs debout près des paniers de victuailles dont le chien des Saint-Arnauld faisait l'inventaire avec son nez.

Des restes de brume traînaient encore au-dessus du courant Sainte-Marie. Pas une seule minute de l'avenir n'était prévue en cette belle journée d'été, déjà bleue, qui allait se poursuivre verte et fleurie pour devenir toute blanche en décembre de l'année d'ensuite et, encore toute romantique malgré mon âge avancé, je m'imagine cette journée comme «la fête étrange» dans *Le grand Meaulnes.* Aussi, quand il m'est arrivé de retourner à l'île pour voir du théâtre à *La Poudrière*, pour visiter l'Exposition universelle ou les Floralies internationales à l'île Notre-Dame, je me suis souvent attardée dans les sentiers qui se faufilent sous les arbres en me demandant si ma mère ressemblait à Yvonne de Galais.

J'ai aimé cette île parce qu'elle était au début des amours de ma mère, à l'origine de ma propre vie et j'ai follement ramassé, accumulé une documentation hétéroclite sur ces lieux qui me sont devenus de plus en plus chers.

Je voulais naïvement en écrire l'histoire puis, en y regardant de près, je me suis aperçue que cette île s'était illustrée de si diverses façons en étant le théâtre et le témoin de si diverses manifestations culturelles et politiques au cœur de notre histoire, qu'elle méritait bien son album illustré parmi les trésors de nos maisons et, ayant lu deux ou trois livres de Jean O'Neil, je lui offris ma documentation en lui demandant de l'écrire à ma place.

Gisèle Laperrière

Les îles

Les îles sont le caprice des Eaux et l'énigme de la Terre qui se demande toujours : «Où ai-je bien pu pêcher cet enfant-là», alors que les eaux répondent : «Nous les enfantons au gré de notre fantaisie comme nous t'avons toi-même enfantée, en des époques noyées dans notre mémoire et dont tu ne te souviendras jamais. »

Ici comme ailleurs, du haut des 233 m de son mont Royal, la Terre regarde ce caillou qui joue dans l'eau à ses pieds et se demande d'où il vient.

— Du fond des eaux comme toi, répondent les géologues qui ont inspecté la surface et tâté les entrailles de l'île. Dans l'interminable histoire de la dérive des continents, l'Amérique a croisé un point chaud du noyau terrestre qui lui a chauffé la croupe par-dessous, lui causant quelques bubons à la surface. Toi, le mont Royal, tu es le deuxième d'une série qui commence à Oka et qui se poursuit ensuite au mont Saint-Bruno, mais, entre vous, l'île est partiellement un rejeton de toi-même et un agglomérat d'autres choses.

Cela est d'ailleurs visible au premier coup d'œil. Au contraire de ses voisines, l'île des Sœurs ou les îles de Boucherville, basses et allongées par le courant, filles du fleuve qui y dépose des alluvions depuis quelques millénaires,

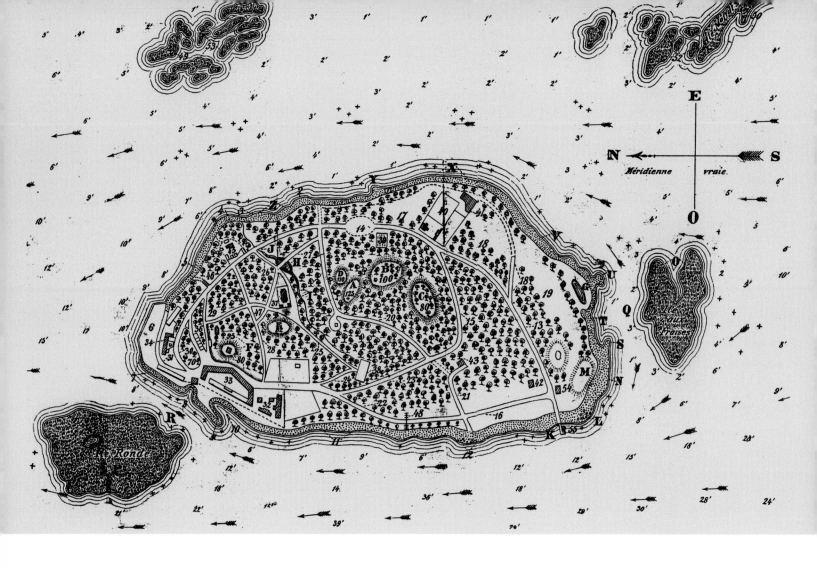

Sainte-Hélène est surtout rocheuse, parfois abrupte et cassée. Ses roches ignées, montées en fusion des profondeurs du sol, sont mêlées à des fragments de Précambrien, de Potsdam et de tous les étages de l'Ordovicien, témoignant ainsi de sa parenté avec les intrusions montérégiennes. La pierre la plus remarquable qu'on y trouve est la brèche de diatrème d'un brun rougeâtre[i], utilisée pour la construction de la tour de l'île, du chalet des baigneurs, et pour certaines résidences chic du centre ville.

Agglomérat, conglomérat ou dépotoir géologique, il n'y a plus de mots aujourd'hui pour désigner le substratum de l'île qu'on a remblayé de tous les matériaux imaginables, tirés des excavations faites pour les tunnels du métro montréalais, lorsque fut aménagé le site d'Expo 67.

Au nombre des matériaux nouveaux, il faut compter le plâtre, dont l'importance est qualitative plutôt que quantitative. En effet, des saints de tous les âges reposent dans et autour de l'île. Ces saints, dûment statufiés et destinés aux églises du Québec à une époque plus pieuse, encombraient les entrepôts de la maison Desmarais et Robitaille, de Montréal, spécialisée dans le commerce des ornements d'église. Or la Révolution tranquille réduisit la demande de façon plutôt considérable et, montés à bord d'une vingtaine de camions, la sainte cohorte prit le chemin des îles pour apporter sa contribution à la nouvelle géographie des lieux.

Car c'est bien de nouvelle géographie qu'il s'agissait alors, puisque l'île Sainte-Hélène allait englober l'île Ronde en franchissant le détroit d'Hochelaga à l'est, l'île aux Fraises à l'ouest, au-delà du détroit de Bonsecours, et un certain nombre d'îlots qui allaient devenir l'île Notre-Dame.

Parmi ces îlots, l'île à la Pierre a une place certaine dans les tristes histoires des premières heures de Montréal. Le 25 octobre 1661, le sulpicien Guillaume Vignal s'y rendit avec un groupe de treize travailleurs afin d'y prendre des matériaux pour compléter la construction du séminaire. Or les Iroquois s'y étaient embusqués dans les bosquets à leur insu et, dans son *Histoire du Montréal*[2], son collègue Dollier de Casson raconte la suite :

> «Un d'entre eux, qui ne fut pas le moins surpris, alla vaquer à ses nécessités, se mettant sur le bord de l'embuscade des ennemis auquel il tourna le derrière. Un Iroquois indigné de cette insulte, sans dire un mot, le piqua d'un coup de son épée emmanchée, Cet homme, qui n'avait jamais éprouvé de seringue si vive et si pointue, fit un bond à ce coup en courant à *la voile* vers ses compagnons qui incontinent virent l'ennemi et l'entendirent faire une grosse huée, ce qui effraya tellement nos gens dont une partie n'était pas encore débarquée, que tous généralement ne songèrent qu'à s'enfuir, s'oubliant ainsi de leur ordinaire bravoure. »

Blessé, M. Vignal fut fait prisonnier, torturé, rôti et mangé.

Soldat de la Marine du Rochefort en 1718

Salut aux héros

Charles, Jacques, Pierre, Paul, François, Joseph, Louis, Jean-Baptiste, Antoine, François-Marie, Marie-Anne et Catherine-Jeanne, les enfants les plus célèbres de la Nouvelle-France demeurent dans une des plus belles maisons de Ville-Marie, rue Saint-Paul, et vont jouer dans l'île Sainte-Hélène, en face, qui est le jardin de leur père.

Arrivé ici à l'âge de quinze ans, en 1641, un an avant la fondation de Ville-Marie, leur père, Charles lui aussi, est d'abord engagé par les jésuites en Huronie, au fond de l'Ontario, et il y passe quatre ans à apprendre le pays. – Qu'est-ce que nos enfants apprennent à quinze ans aujourd'hui? – Apprendre le pays, c'est connaître les Hurons et leurs ennemis les Iroquois, c'est apprendre leur langue et adopter le meilleur de leurs coutumes pour survivre en ce monde tout à fait nouveau, y compris, surtout, leur façon de faire la guerre, car la guerre franco-iroquoise est prise pour un bon demi-siècle.

PIERRE LE MOYNE

Et Charles Le Moyne passera sa vie à faire la guerre en ces premiers temps de la colonie, car, de simples visiteurs bienvenus qu'ils étaient au début, les Français se sont maintenant établis en permanence à la fine pointe du triangle que les Iroquois considèrent comme leur territoire, le triangle actuel de Montréal, Buffalo, Albany. Son activité « au service du roi » lui vaudra de multiples reconnaissances, dont la seigneurie de Longueuil, à laquelle était rattachée l'île Sainte-Hélène, et la seigneurie de Châteauguay.

Charles, fils, Jacques, Pierre, Paul et François ont respectivement neuf, six, quatre, trois et un an quand leur père se voit concéder l'île en 1665. Les autres viendront ensuite. Entre la maison et l'île, il y a le courant Sainte-Marie et c'est dans ce petit monde qu'ils apprendront la guerre et la navigation. La guerre d'escarmouche contre les Amérindiens, d'abord, et ensuite « la petite guerre », c'est à dire la longue maraude vers les villages de la Nouvelle-Angleterre pour les incendier, et enfin la vraie guerre, maritime le plus souvent, contre les Anglais à la baie d'Hudson, contre les Espagnols dans les Antilles et en Louisiane, sur les rivages du golfe du Mexique.

À force de s'illustrer au service de la France en Amérique, des particules et des titres de noblesse viendront s'ajouter à leur nom d'enfant et ils deviendront, pour la gloire de la colonie et la damnation de leurs adversaires, les Charles Le Moyne, baron de Longueuil, Jacques Le Moyne de Sainte-Hélène, Pierre Le Moyne d'Iberville et d'Ardillières, Paul Le Moyne de Maricourt, François Le Moyne de Bienville, Joseph Le Moyne de Sérigny et de Loire, Louis Le Moyne de Châteauguay et Jean-Baptiste Le Moyne de Bienville.

Leur fantôme joue-t-il encore dans les sentiers et sous les arbres de l'île ?

Peut-être bien que oui et peut-être racontent-ils leurs exploits à qui veut bien les entendre et se souvenir qu'à eux seuls, cette bande de gamins avait planté le drapeau de la France sur la moitié de l'Amérique du Nord. La mauvaise administration de Louis XV lui en a fait perdre un premier morceau important au profit de l'Angleterre sur les plaines d'Abraham en 1759, et Napoléon a doublé la superficie des Etats-Unis en leur vendant la Louisiane des Le Moyne pour 15 millions $ en 1803, avant d'aller mourir dans une autre île Sainte-Hélène.

Le pont Jacques-Cartier, une dentelle d'ingénieur, vu de l'île.

Le déclin

Le déclin de l'empire français en Amérique suit d'assez près les malheurs de la famille Le Moyne. Charles, le patriarche, meurt en 1685, et un premier fils, Jacques, est tué à Québec quand les forces françaises repoussent l'invasion navale de Phips en 1690. L'année suivante, François meurt d'un coup de mousquet en attaquant un parti d'Onneiouts à Repentigny, et son frère Louis meurt de la même façon deux ans plus tard, mais à la baie d'Hudson, lors de l'attaque du fort York.

Paul, guerrier et diplomate comme son père, était très respecté des Iroquois et il mourut en 1704, trois ans après avoir été un des grands artisans de la paix iroquoise de 1701.

En 1706, c'était au tour de Pierre qui avait gardé à la France la baie d'Hudson, Terre-Neuve, l'Acadie et la Louisiane. Le traité d'Utrecht, en 1713, allait malheureusement céder ces possessions à l'Angleterre, à l'exception de la Louisiane. Il mourut à La Havane d'une maladie mal identifiée, peut-être la fièvre jaune contractée dans les bayous.

Installés en France après leurs exploits en Louisiane, Joseph et Jean-Baptiste meurent en 1734 et 1769.

L'aîné, Charles, baron de Longueuil et propriétaire de l'île Sainte-Hélène y fera des améliorations importantes, là où son père semble n'avoir eu qu'une maison d'été et un camp de chasse : «une maison de maçonnerie de cinquante-deux pieds de long sur trente-deux de large, de pièces sur pièces avec des basses ailes de maçonnerie, le long du pressoir de cinquante pieds de long sur trente-deux de large, une bergerie de trente-deux pieds en carré aussy de maçonnerie, une étable et écurie ensemble de quarante pieds de long sur vingt de large, de colombage, quatre arpents de terre plantés en vigne, trente-six arpents de terre en verger et le reste en paturage ou bois.[3]».

La demeure et le gros des bâtiments se trouvaient approximativement sur le site et aux environs de l'actuelle Biosphère.

Le premier baron de Longueuil meurt en 1729, cédant titre et propriété à son fils Charles (1687 – 1755), gouverneur de Trois-Rivières, puis de Montréal, qui fera construire un moulin sur l'île. En 1749, il fait les frais de sa propriété à un grand visiteur de passage à Montréal, le botaniste finlandais Pehr Kalm qui raconte ceci dans son journal, en date du 28 juillet.

«Dans la matinée, je m'en vais en compagnie du gouverneur, *Baron Longeuil* [sic], et de sa famille sur une petite île qui lui appartient, appelée *Magdalena* [sic] et située presque en face de la ville, à l'est. Il possède à cet endroit une petite ferme qui comprend un grand et beau jardin, un moulin à farine, ainsi que du bétail qui trouve là de quoi pâturer en suffisance. [...] Le *moulin* édifié sur l'île est actionné uniquement par le courant du fleuve, assez puissant ici, sans que l'on ait eu à bâtir un barrage.[4]». Kalm décrit les pièces du moulin, son fonctionnement et, parmi les plantes assez communes qu'il trouve sur les lieux, il signale la très étonnante présence de trois arbres, le sassafras, le mûrier et le platane. Inutile de préciser qu'ils n'y sont plus, ni aux alentours.

Le troisième baron en titre et en propriété, Charles-Jacques, ne le sera que de janvier à septembre 1755, porté disparu à la bataille du lac Saint-Sacrement, perdue par les Français sous le commandement de Jean-Armand Dieskau.

Son île Sainte-Hélène aurait tout de même été le théâtre de la dernière grande manifestation française en Amérique. C'est là que François-Gaston duc de Lévis aurait fait brûler les drapeaux des régiments français, plutôt que de les remettre au général Amherst, lors de la capitulation de Montréal, le 8 septembre 1760. Tout étonnant qu'il semble, l'usage du conditionnel est de rigueur, car les historiens en discutent encore, ce qui n'a pas empêché les autorités de donner le nom du héros à la magnifique tour/réservoir qui domine l'île de ses 29,5 m sur le mont Boullé (38,5 m) depuis 1937.

MANOIR
DE
L'ÎLE SAINTE-HÉLÈNE (1723)

F. EMERY '74

La dernière baronne

1818, rue Notre-Dame par une belle journée de fin d'été. Un vieux cheval tire péniblement une calèche bringuebalante sur les pavés de la rue désormais ornée de lampadaires à l'huile de baleine, de loup-marin ou de morue[5]. Les badauds qui reconnaissent la voiture mettent un terme à leur conversation et gardent un respectueux silence à son passage, mais une bande de gamins se sont cachés à l'entrée d'une ruelle et l'un d'eux s'avance sur le trottoir pour crier : «Bread! ». Le cheval s'arrête immédiatement. Le cocher descend en maugréant des imprécations contre les voyous, remonte dans la voiture et le cheval repart aussitôt. Mais les jeunes ont contourné le pâté de maison et un autre s'avance pour encore crier : «Bread! ». Le cheval s'arrête à nouveau et cette fois, le cocher ne dit mot tandis qu'il aide une vieille dame à descendre de voiture.

Elle jette un regard de mépris vers la ruelle maintenant déserte et frappe à la maison où l'attend la marquise de Vallière. Aussitôt, le cocher se précipite vers la ruelle en brandissant son fouet mais les gamins ne l'ont pas attendu pour déguerpir et il ne peut que rire avec les badauds qui n'ont rien manqué de la scène. Une scène bien connue dans les rues de Montréal, car la vieille dame est la baronne Marie-Charles-Joseph Le Moyne de Longueuil, âgée de soixante deux ans, fille posthume du troisième baron, Charles-Jacques.

Bien que très à l'aise et bienfaitrice des bonnes œuvres, la veuve est plutôt sévère envers elle-même. Au grand dam de son serviteur, elle a acheté le vieux cheval d'un boulanger et les gens n'ont qu'à crier «Bread! » pour que la brave bête, fidèle à ses habitudes, s'arrête le temps qu'on descende de voiture et il n'y a ni cris ni fouet qui la fasse bouger avant qu'on y remonte, ce qui la fait repartir immédiatement[6].

La dame vient de vendre l'île Sainte-Hélène au gouvernement anglais qui veut la transformer en place forte pour repousser toute attaque américaine sur Montréal, dont les fortifications tombent en ruine, et qui en sera désormais dépourvue. La recommandation vient de haut, le duc de Wellington lui-même, vainqueur de Napoléon à Waterloo trois ans plus tôt, et les travaux débuteront dès 1820.

Au bout de 153 ans, l'ère des Le Moyne est bel et bien terminée sur l'île Sainte-Hélène. Tout ce qui pourrait la rappeler est utilisé jusqu'à usure, abandon et démolition.

CHEMINS ET SENTIERS

Géographie
de cent-vingt-trois hectares

D e propriété privée, l'île Sainte-Hélène est devenue propriété d'État mais le petit peuple de Montréal n'y aura pas tout de suite accès pour autant, car la défense est prioritaire et de grands travaux militaires vont bientôt changer considérablement sa vocation et son visage. Pour raconter les choses dans le lieu de leur survenance et s'y retrouver, un peu de géographie ne sera pas de trop puisque au fil des ans, les lieux ont acquis une toponymie très particulière, comme si cette île, ou cet îlot d'environ 123 hectares, totalement inhabité, était tout un pays en soi, comme un pays de poupée balisé par quelques millénaires d'occupation humaine.

Avant les grands travaux des années 1960, l'île mesurait environ 1,2 km sur 0,6 km, gisant presque exactement nord – sud. Le pont Jacques-Cartier se permet une légère déviation de la droite afin de pouvoir s'arrimer son extrémité nord, à peu près à mi-chemin de sa propre course, près de ce qui était autrefois la pointe Molson.

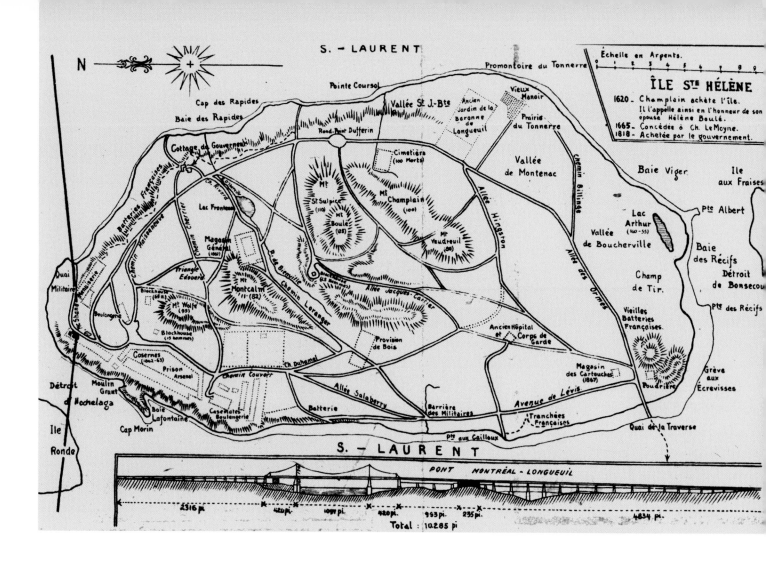

D'est en ouest, l'île est traversée par deux chaînes de montagnes – on ne rit pas! – séparées par la rivière de Bienville, dans la vallée des Ormes où se trouve la Poudrière. Le plus haut sommet de l'île – galanterie oblige – est le mont Boullé, avec ses 38,5 m au sud de ladite vallée. Son voisin immédiat, Saint-Sulpice, culmine à 33,8 m. Champlain, au sud de son épouse, atteint les 30,7 m et Vaudreuil, 24,6 m. Au nord de la vallée, les malheureux héros des Plaines d'Abraham s'affrontent encore, Montcalm à 25,2 mètres et Wolfe à 29,2 m. Ce sont là les amers importants de l'île, car les autres repères toponymiques intéressants tels que la baie Papineau, le promontoire du Tonnerre, la grève aux Écrevisses et autres, ont plus ou moins disparus avec les grands travaux qui ont soudé les îles entre elles, mais les flâneurs auront du plaisir à retrouver certains sites très bien indiqués sur la carte de J.-A. Crevier, tracée en 1876.

Il importait de bien situer les montagnes pour un détail fort intéressant qui concerne le mont Wolfe et les divers bâtiments de l'île. C'était très certainement le plus haut sommet de l'île et certains écrits lui donnaient une altitude

discutable de 61,5 m, sauf qu'on ne peut plus en discuter puisque c'est lui qu'on a écrêté pendant plus d'un siècle afin d'en tirer la brèche de diatrème qui a servi à la construction des casernes et des baraquements militaires au 19ᵉ siècle, ainsi qu'à la construction de la tour de Lévis, du chalet des Baigneurs et du restaurant Hélène de Champlain dans la première moitié du 20ᵉ.

Et qui plus est, il s'agit là d'une des très surprenantes réalités de l'histoire architecturale au Québec, une réalité absolument unique et si extraordinaire qu'on ne la voit même plus : là où les villes se construisent avec des matériaux venus des quatre coins du diable, l'île Sainte-Hélène est tout entière construite avec les ressources de son propre sous-sol !

La citadelle de Montréal

L a guerre d'indépendance américaine s'était terminée par le traité de Versailles en 1783, mais l'Angleterre continuait de harceler les navires américains en mer et d'opérer un blocus des principaux ports, de sorte que les jeunes Etats-Unis déclarèrent à nouveau la guerre en 1812. Bien évidemment, cette guerre se déroula partiellement en mer mais aussi sur terre alors que les Américains tentèrent de chasser l'Angleterre du Canada. Le plus beau souvenir local en est la victoire de Charles-Michel de Salaberry à Châteauguay en octobre 1813.

La paix revient en 1814, mais ne s'y fiant pas trop, les Anglais décident de fortifier ses défenses, le long des routes maritimes surtout. En 1819, on reconstruit le fort de l'île aux Noix, car les Américains, comme jadis les Iroquois, aiment bien attaquer en remontant le Richelieu. L'année suivante, 1820, on entreprend la construction de deux citadelles, l'une à Québec et l'autre à Montréal. Le sort en est jeté, c'est l'île Sainte-Hélène qui est appelée à devenir la citadelle de Montréal et les recommandations du duc de Wellington sont mises en chantier dès 1820, suivant les plans du lieutenant-colonel Elias Walker Durnford.

Des travaux considérables se poursuivront jusqu'en 1824 sans laisser de traces photographiques, évidemment, et outre les plans ils n'ont fait l'objet que de rarissimes croquis. Hélas, l'imagination peut à peine suppléer aux documents d'époque pour nous montrer l'ampleur des travaux mais il faut tout de même imaginer bon nombre d'hommes et un appareillage très élaboré pour la taille et l'extraction de la pierre au mont Wolfe ainsi que pour la construction même des fortifications. Sans doute y eut-il un village provisoire, car il ne faut pas oublier que nous sommes sur une île et que les travailleurs ne retournaient probablement pas à Montréal pour la nuit. D'autre part, il ne faut pas, non plus, exagérer la difficulté des transports puisque nous sommes en 1820 et que les chemins de l'eau sont encore beaucoup plus praticables et plus utilisées que les voies terrestres.

Les fortifications prennent la forme d'un vaste pentagone écrasé sur lui-même dont le centre est la cour intérieure réservée aux exercices et aux différentes manœuvres. La base, un long bâtiment adossé au fleuve au-dessus du courant Sainte-Marie, abrite l'armurerie, les ateliers, les canons et les magasins. Trop amoché pour être restauré, il sera démoli un siècle plus tard, en 1926.

Les quatre autres côtés du pentagone constituent l'arsenal. Les voûtes massives protègent les étages inférieurs contre les bombardements et des rails permettent le déplacement et l'entreposage des grosses munitions.

À l'est et à l'extérieur du pentagone s'y greffent deux constructions entourées de douves : la plus petite des deux poudrières de l'île, toujours en place, ainsi que les casernes, un édifice colossal de quatre étages pouvant loger 250 hommes, et qui fut la proie des flammes la veille de Noël 1875. Le seul étage qui reste aujourd'hui était réservé au mess des soldats et officiers et c'est le Festin du Gouverneur.

Si vis pacem para bellum, si tu veux la paix prépare la guerre, dit l'adage latin, et c'est pour confirmer sa justesse, sa sagesse, sans doute, que le fort de l'île au Noix, la Citadelle de Québec et celle de l'île Sainte-Hélène n'ont jamais connu la guerre !

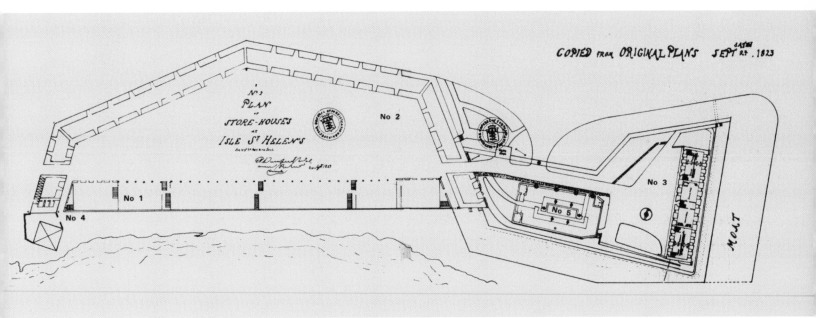

PLAN DU FORT DE L'ÎLE.

La Fête des neiges accueille ses nombreux visiteurs avec un impressionnant château-fort de glace.

Le peuple peut y mettre les pieds

À quoi sert une citadelle quand elle ne sert à rien? Elle sert à tout, évidemment, et ce sera le lot des fortifications de l'île Sainte-Hélène. Elles serviront une partie de leur vocation première pendant dix ans alors que toute l'armée anglaise d'Amérique du Nord en fera son dépôt de munitions.

Soudainement en 1830, une vague d'immigrants européens, Écossais et Irlandais en majorité, apportent avec eux une épidémie de choléra et les soldats cèdent la place aux malades dans ce vaste fort transformé en hôpital.

En 1837, l'ennemi ne vient pas d'ailleurs. Il est ici même entre nos murs, Anglais ou Canadien, selon le parti que chacun veut bien prendre ou combattre, et l'hôpital devient la prison militaire des rebelles, les Patriotes qui ne se sont pas déguisés pour s'enfuir aux Etats-Unis comme leur chef Louis-Joseph Papineau.

Nouvelle menace en 1848, les Fenians, cette fois, des Irlandais déguisés en Américains et qui veulent conquérir le Canada pour libérer l'Irlande.

CONCERT EN PLEIN AIR

Éternellement prévoyante, l'Angleterre ne perd pas de temps et construit un blockhaus aux flancs du mont Boullé pour les attendre. *Si vis pacem...* encore! Les Fenians ne traverseront la frontière, et de justesse encore, qu'en 1866 et seront aussitôt refoulés aux États-Unis, mais ils nous auront valu une des plus amu-

santes constructions militaires de l'île, cette redoute en poivrière qui pouvait affronter l'ennemi de quelque angle qu'il se présentât. Construit en bois, pièces sur pièces, pour affronter des Fénians dont il ne vit jamais le bout du nez, le blockhaus aura été victime des vandales. Incendié, reconstruit, incendié, reconstruit et incendié encore en 1965, les autorités, de guerre lasse, l'ont abandonné à ses cendres.

L'incendie avait aussi ravagé une partie importante des fortifications, l'armurerie, en 1848.

Arrive 1867 et l'avènement de la Confédération canadienne. L'armée anglaise n'ayant plus de raison d'être ici, elle ramasse lentement ses oripeaux et se retire définitivement en 1870. Une petite garnison y est maintenue pour la forme et les installations servent de camp d'entraînement l'été.

En 1875, une partie de l'île est enfin transformée en parc public et c'est la fête pour Jean-Baptiste qui y met les pieds en toute légitimité pour la première fois depuis l'histoire de ce pays. Concerts, pique-niques, baignades, tout est permis sur l'île qui devient une sorte d'Éden à la porte de la ville. On parle même d'y aménager un parc d'amusement et, quoi encore, une exposition universelle en 1896.

Le gros lot, quoi!

LE PROJET D'EXPOSITION UNIVERSELLE DE 1896

Enfin, le pont !

Messieurs O. Saint-Denis, de la rue Ropery, et R.O. Quinn, de la rue Iberville, furent les premiers piétons montréalais à s'engager sur le pont. Venu de Longueuil, ce fut un écolier, Eugène Lacasse, qui se rendait à l'école Saint-Pierre. Le premier automobiliste montréalais à y risquer son « char » fut M. Henri Campeau, de la rue Champlain, et, chemin faisant, il croisa inévitablement MM. J.-N. et A. Feiner qui arrivaient de Longueuil.

Nul doute que toutes ces braves gens se sont envoyé la main et de larges sourires chemin faisant, comme ils ont certainement, le soir, regardé leur photo à la une de *La Presse* en ce 14 mai 1930.

Et en regardant ces photos aujourd'hui, force est de constater que les hommes et leurs habillements n'ont pas tellement changé en soixante-douze ans.

Mais les autos, si !

Le péage ? Quinze cents pour les piétons, vingt-cinq pour l'automobile et son conducteur. Les automobilistes pouvaient acheter des billets en séries de deux dollars ou en carnets de cinq. Suivaient une variété de tarifs pour les camions, les motos, et les animaux « seuls ou en troupeau ». Déjà fort connu, le frère André, lui, habituera les percepteurs à le voir payer avec des médailles de saint Joseph.

Les premiers usagers étaient tout de même fort téméraires puisque le pont n'avait pas encore été béni par Sa grandeur Mgr Georges Gauthier, archevêque de Montréal, ni inauguré officiellement par le Premier ministre du Canada Mackenzie King qui, en pressant un bouton dans ses bureaux d'Ottawa, dévoilait des plaques commémoratives sur l'estrade d'honneur le 26 mai suivant.

Le pont connut son nom actuel quatre ans après son inauguration, pour commémorer le quatrième centenaire de la découverte du Canada par Jacques Cartier, en 1534. Auparavant, il portait officiellement le nom de pont du Havre et, plus communément, le nom de pont Croche, à cause de sa déviation, la fameuse courbe Craig, créée par le refus d'un des propriétaires fonciers, M. Hector Barsalou, de voir sa savonnerie expropriée à l'actuel coin des rues Maisonneuve et De Lorimier. Sa partie sud, au-dessus de la Voie maritime, a été haussée en 1958 pour permettre le passage des gros navires qui, auparavant, terminaient leur course dans le port de Montréal.

14 MAI 1930: ILS FURENT LES PREMIERS À TRAVERSER LE PONT.

Comme certains ponts dont on parle aujourd'hui pour améliorer les relations routières entre Montréal et la Rive-Sud, le pont du Havre, fut l'objet de conversations et de propositions dès 1874, alors que le pont Victoria ne suffisait plus, jusqu'en 1924, quand les autorités fédérales adoptèrent la loi autorisant sa construction. Les travaux entrepris en 1925 furent terminés un an et demi plus tôt que prévu.

LA PRESSE

CONSTRUCTION DU PONT JACQUES-CARTIER

LA PRESSE

Avec ses voies d'accès, le pont est long de 3,4 km. Le pinacle de sa structure atteint 56,3 m au-dessus de sa plus haute pile, et 104 m au-dessus de l'eau.

De type cantilever, il fut construit avec une certaine appréhension, compte tenu de la chute de la travée centrale de son célèbre frère, le pont de Québec, quatorze ans plus tôt. Aussi, les ingénieurs échangèrent-ils une très chaleureuse poignée de main lorsque la jonction des deux travées fut accomplie et le pont fut qualifié de « chef-d'œuvre du genre », « merveille du génie civil ».

Tout cela parce que, en son centre, le pont s'appuyait sur l'extrémité nord de l'île Sainte-Hélène à laquelle il donnait enfin accès par des moyens autres que maritimes.

Les pique-niques n'en furent que plus nombreux mais, hélas, ce fut aussi la fin des charmants traversiers !

LE LONGUEUIL, DERNIER TRAVERSIER

Les constructions
de la crise

Le pont venant d'être arrimé à l'île, l'île au pont et les deux îles enfin réunies, l'occasion était belle de faire ce qu'on espérait depuis longtemps, un petit paradis écologique et reposant pour la classe laborieuse de Montréal qui voyait plus de béton et de brique que de verdure.

Un événement terrible permit la réalisation du rêve. La grande crise économique de 1929. À force d'en parler, les gouvernements débloquèrent des fonds pour donner du travail aux chômeurs. Il fallut sept ans, le temps que le pont se termine, ainsi que les palabres, et le gouvernement provincial entama un programme de secours qui consistait à faire de l'île un joli parc doté d'aménagements récréatifs pour la population de Montréal.

On nettoya la forêt, on aménagea des sentiers et l'on retourna au sommet du mont Wolfe pour l'écrêter encore un peu, histoire de construire la tour de Lévis, le chalet des baigneurs et le pavillon des sports, devenu le restaurant Hélène-de-Champlain.

Si le pavillon des sports n'avait pas de vocation bien définie, le chalet des baigneurs en avait une, celle d'accueillir les Montréalais qui se cherchaient une plage, et elles étaient belles autour de l'île. Quant à la tour de Lévis, c'est un de ces beaux mensonges historiques, architecturaux et utilitaires. En réalité, la tour abrite un château d'eau pour desservir l'île entière, elle porte le nom d'un héros cher aux Québécois et elle est aussi magnifique qu'un conte de Walt Disney au sommet du mont Boullé.

Quant au pavillon des sports, il connaîtra sa vocation plus tard, en 1967, quand il deviendra le pavillon d'honneur de l'Expo où messieurs Pierre Dupuy, commissaire général, et Jean Drapeau, maire de Montréal, recevront chefs d'États et invités de marque.

Les constructions de la crise ont été le début d'une grande période pour l'île Sainte-Hélène, une période d'urbanisation sensée, respectueuse des lieux autant que des besoins recherchés.

Le tout, comme toujours, avec la brèche de diatrème rougeâtre, si caractéristique de l'île elle-même.

Intérieur du Chalet des Baigneurs

Prisonniers italiens pendant la Deuxième Guerre mondiale

Oh! Les pauvres!

Et les chanceux, tout de même. La photo les montre bêchant quelque chose, des pommes de terre probablement, avec, au-delà dans le ciel, la savante architrave du pont Jacques-Cartier, dentelle de leur refuge ou menace au-dessus de leur tête?

Ils sont prisonniers, et prisonniers de guerre. La guerre est ailleurs, va sans dire, dans les lointaines Europes dont la radio nous parle le soir, et nous en savons quelque chose car les nôtres s'embarquent pour aller la faire.

Les adieux, dans les gares, sont tout ce qu'il y a de plus pathétique.

Quant à eux, presque tous Italiens, les voilà bien punis car ils ont commis l'erreur de naître ici.

Quatre cents, à peu près.

Pas très dangereux, sauf qu'ils ont des mononcles, des matantes, des cousins et des cousines dans l'Italie maudite de Mussolini.

Alors ils paient pour.

On les enferme.

Bah!

On ne les enferme presque pas. On leur fait biner des patates sous le pont Jacques-Cartier pour leur faire passer le temps, pour ne pas qu'ils écrivent à leur famille au-delà de l'océan, pour ne pas qu'ils leur révèlent des secrets militaires, comme la couleur et le nombre de raies sur l'élytre des doryphores ou bibites à patates.

Ils sont prisonniers et c'est tout simple.

Prisonniers de guerre.

L'île Saint-Hélène est une bonne place pour ça.

Ils ne peuvent pas s'échapper à pied par le pont Jacques-Cartier, car ils feraient rire d'eux autres en étant repris dans le filet comme une balle de ping-pong.

Ils ne peuvent pas s'échapper à la nage car le courant Sainte-Marie est plus fort que leur dégoût.

Ils pourraient s'échapper en se suicidant, mais les statistiques démontrent que ça n'était pas l'issue recherchée.

Alors ils bêchent des pommes de terres en attendant que ça finisse et qu'ils puissent en faire cuire, en manger dans leur famille.

Selon le temps qu'il fait, l'île Sainte-Hélène peut aussi devenir une sorte de pénitencier.

Quatre cents hommes, pas une femme.

À la guerre comme à la guerre.

Le musée

N'est-il pas merveilleux qu'avec le temps, toutes les installations militaires deviennent musée pour nous montrer comment nous avons bien vécu à travers nos maladresses?

Les fortifications de l'île Sainte-Hélène ont maintenant cent-vingt-trois ans. Elles ont coûté très cher, mais elles ne servent plus à la guerre. Elles servent à montrer ce que nous fûmes dans notre crainte d'être attaqués, à ce que nous fûmes dans l'invention de nos techniques maritimes, à ce que nous sommes dans l'évaluation de notre passé, face à l'avenir.

Car il ne faut jamais oublier l'adage du philosophe américain George Santayana : «Ceux qui ignorent le passé sont condamnés à le répéter».

La curiosité, plus que la philosophie, donne naissance aux musées et c'est ainsi qu'un petit groupe, la Société historique du Lac-Saint-Louis, organise, en 1955, une modeste exposition d'armes, de documents, de gravures et d'objets remontant à la période de transition du régime français au régime britannique, dans la redoute des Fenians, au centre de l'île Sainte-Hélène.

L'intérêt vient d'être créé et il ne fera que grandir. À la fin des années 1950, le musée s'installe dans le Vieux Fort de l'île. Il occupera d'abord la caserne et la poudrière. En 1963, le musée occupe l'Arsenal, principal bâtiment de toute la forteresse. Aujourd'hui, le musée occupe toute l'ancienne forteresse.

En 1965, constitution légale du Musée militaire et maritime de Montréal. Déjà trente-six ans. Trente-six ans d'acquisitions. Trente-six ans de manifestations, trente six ans d'organisation pour en faire une des plus grandes richesses patrimoniales de Montréal, dans le plus total respect du site, des édifices, dans la plus grande disponibilité au public qui retrouve son île, son passé, qui retrouve des gens affables, riches d'archives précieuses et facilement accessibles.

Un air de cornemuse ou de fifre avec ça?

L'entrée du fort

PARADE DES FRASER HIGHLANDERS

LE FORT DE L'ÎLE SANTE-HÉLÈNE

Les régiments

—Boum! Badiboum, boum, boum! Shroum! Shroum! Shroum! Shroum, shroum shroum shroum! Ouin! Ouin ouin ouin ouin! Ouin! Ouin ouin ouin ouin ouin!

Entendez-vous les Fraser Highlanders qui avancent en parade, la grosse caisse sur la bedaine et les cornemuses en l'air? Et la Compagnie franche de la marine qui leur répond au son du fifre et des tambours?

-Taratata! Taratata! Taratata tata ta! Taratata! Taratata! Taratata tata! Ri! Ri! Ri! Ri! Ri ri ri ri ri ri! Ri! Ri! Ri! Ri! Ri! Ri ri ri ri!

Les Français ont l'air un peu efféminés malgré l'élégante capote blanche, le pantalon bleu et les guêtres crème, alors que les Écossais, beaux mâles à moustaches, portent des jupettes sous lesquelles il est interdit de vérifier quoi que ce soit.

Ces sont des as de la guerre, mais de la guerre musicale, car l'autre, ils ne la font plus depuis… depuis… La dernière fois qu'ils se sont affrontés, tiens!, c'était un 14 septembre, 1759 peut-être, en un lieu dit plaines d'Abraham. Oui, ce sont des Écossais qui formaient la piétaille sous des généraux anglais à cette occasion et ce sont les Highlanders de Simon Fraser qui l'ont emporté sur la

LES FRASER HIGHLANDERS À L'EXERCICE.

Compagnie franche de la marine pour ainsi gagner la Nouvelle-France à l'Angleterre. Pourtant, Écossais et Français étaient de bons amis qui avaient échangé rois et reines pendant quelques siècles et, sitôt les armes déposées, ils le sont redevenus rapidement ici, le mariage étant un grand remède ethnique qui transforme rapidement les Blackburn, les Harvey, les McNicoll, les Murdock et autres en Canadiens-français.

La Compagnie franche de la marine fut reconstituée en 1962. À l'occasion d'un défilé militaire à la foire mondiale de Seattle, l'Armée canadienne avait fait appel à M. David Stewart, du Musée militaire et maritime de Montréal, pour former un groupe qui représenterait les troupes du Régime français. Succès immédiat et M. Stewart, Écossais comme par hasard, reconstituait les Fraser Highlanders trois ans plus tard. Il n'y a pas de conscription, mais l'enrôlement volontaire est très couru par les étudiants et les archives démontrent que plusieurs recrues avaient des ancêtres dans les formations d'origine.

La Compagnie franche de la marine.

Au cimetière militaire de l'île.

Depuis, les exercices et les parades de ces deux unités, de même que leur musique qui voltige parmi les frondaisons, apportent un charme incomparable à toute visite de l'île, et quand ce charme flotte au-dessus de la lecture de nos journaux, force nous est de constater que la guerre a perdu le peu de noblesse qu'elle pouvait s'offrir.

LES ANIMATEURS-INTERPRÈTES ACCUEILLENT LE PUBLIC ET LES JEUNES.

L'enfer brun

Jean Drapeau avait été maire de Montréal de 1954 à 1957, année où le Premier ministre Duplessis s'était organisé pour le faire battre. M. Duplessis meurt en 1959 et M. Drapeau, réélu en 1960, transforme sa ville en un vaste chantier de rénovation. Au centre-ville les gratte-ciel poussent en grande concurrence, mais la ville pousse également par-dessous avec de multiples souterrains dont ceux du métro, car monsieur le maire va doter sa ville d'un métro.

Mais que faire avec vingt-cinq millions de tonnes de terre et de pierre, fruit de ces excavations?

Fortuna audaces juvat, la fortune sourit aux audacieux, disent les pages roses de Monsieur Larousse et M. le maire lui-même voit tout en rose.

À l'automne de 1960, le Bureau international des expositions s'était réuni pour choisir la ville qui serait l'hôtesse de ses ébats en 1967. Deux candidats en lice : l'Union soviétique qui voulait fêter le cinquantenaire de son régime politique, et le Canada qui voulait fêter le centenaire de sa Confédération. Moscou l'emporte mais se défile deux ans plus tard et le Canada attrape la balle au bond. Au Canada, ce sera Montréal ou Toronto, mais Toronto n'en veut pas et Jean Drapeau se frotte les mains. Il a trouvé le dépotoir de ses excavations !

En haut, l'île Sainte-Hélène avant les travaux d'agrandissement pour Expo 67. En bas, l'île après les travaux.

Sans toujours être officiellement fermée au public, quoique bien souvent, l'île Sainte-Hélène sera quasiment déserte pendant cinq ans. De 1962 à 1964, vingt-quatre heures sur vingt-quatre, toutes les trois minutes, un camion viendra déverser son petit tas de détritus montréalais sur les pourtours de l'île qui rejoindront bientôt les ilots et les bas-fonds adjacents pour former ce qui est aujourd'hui le parc des Îles. Architectes, entrepreneurs et jardiniers prendront ensuite le relais, dans un nuage de poussière permanent, quand ce n'est pas dans une mer de boue inimaginable.

Pour la banlieue qui travaille à Montréal et qui revient dormir chez elle via le pont Jacques-Cartier, c'est l'enfer brun.

Mais Montréal s'embellit…

VUE AÉRIENNE DE L'ÎLE SAINTE-HÉLÈNE, AGRANDIE AVEC LA TERRE ET LE ROC EXTRAITS DES EXCAVATIONS DU MÉTRO DE MONTRÉAL. LA TRANCHÉE ACCUEILLERA LA LIGNE 4 DU MÉTRO VERS LONGUEUIL.

Jardin botanique de Montréal

Sourires et grâce, les hôtesses à l'Expo 67.

Le temps d'une Expo

TRENTE-CINQ ANS DÉJÀ!

Trente-cinq ans que les *Mille et une nuits* ont été racontées en six mois dans des châteaux de stuc, de pacotille et de carton où allaient, souriantes, d'aimables hôtesses qui sont aujourd'hui grands-mères et qui étaient tout à tous, des marmots en poussettes jusqu'aux vieillards à la canne hésitante, béants de stupéfaction et d'incrédulité devant les ballons, les eaux jaillissantes des fontaines, les fleurs pyrotechniques de la nuit, les manèges diaboliques et le spectacle des gens de toute la *Terre des hommes* accourus à Montréal uniquement pour montrer la splendeur de leur différence.

Trente-cinq ans que le miracle s'était accompli! L'enfer poussiéreux et boueux des récentes années s'était soudain transformé en une invraisemblable fantasmagorie qui faisaient tourner toutes les têtes du monde.

LES PAVILLONS DE LA THAÏLANDE ET DE L'URSS.

PAVILLON THÉMATIQUE: L'HOMME À L'ŒUVRE.

LES PAVILLONS TRADITIONNELS DE LA BERMANIE ET DE LA THAÏLANDE.

LE PAVILLON DE LA GRANDE-BRETAGNE DOMINA LA PLACE DES NATIONS.

L'île Sainte-Hélène, bouquet de verdure séculaire flottant au milieu du fleuve, avait bel et bien donné naissance à d'autres îles en leur tendant la main et celles-ci, avec des vocations aussi éblouissantes qu'éphémères et particulières, damaient le pion à la vieille reine, toute discrète devant leur exubérante jeunesse, trop heureuse de se retirer sous ses arbres, dans le calme de sa dignité séculaire enfin retrouvée.

Trente-cinq ans et ils étaient tous là, les grands de ce monde, et visiblement heureux d'y être parmi une foule qui renouvelait ses acclamations à chaque visiteur : une reine Élizabeth en chair et en os avec son sourire protocolaire qui brillait du haut du minirail ; un président Lyndon B. Johnson qui avait momentanément pris congé entre deux réflexions sur les bombardements au Vietnam ; un Charles de Gaulle hautain de la hauteur de son nez fourré dans nos affaires, au grand amusement d'un Daniel Johnson au sourire également protocolaire et au grand dam d'un Lester B. Pearson, diplomate soudain décontenancé par la soudaine absence de diplomatie, et des centaines d'autres, avides de voir comment c'était chez nous et combien nous étions recevants.

Trente-cinq ans que tous les pays du monde — il en manquait si peu que pas! — étaient accourus avec les trésors et les babioles de leur terroir, les musiques et les multiples savoir-faire de leurs gens, les couleurs de leurs vêtements et de leur drapeau, sans oublier les odeurs appétissantes de leur cuisine nationale qui flottaient parmi des architectures futuristes et parfois carrément folles, au-dessus des canaux et parmi une explosion de fleurs le long des promenades.

Trente-cinq ans que la terre entière s'est rassemblée dans l'île Sainte-Hélène et dans ses dépendances pour découvrir le Canada, le Québec. Trente cinq ans que les gens d'ici font affaires avec la terre entière dans les domaines les plus divers. Trente-cinq ans d'inspiration architecturale, cinématographique, littéraire, musicale, théâtrale, technique etc. Trente-cinq ans que les jeunes hôtesses et hôtes de la *Terre des hommes* sont devenus des vedettes de l'administration, de la télévision, du syndicalisme et de la politique. Et le jardinier de l'Expo est devenu maire de Montréal!

Trente-cinq ans! Les vieillards ont été portés en terre et les marmots d'alors ont besoin de photos pour se souvenir de quelque chose, car il n'y a plus d'exposition universelle où emmener leurs propres enfants.

La Poudrière

La dame s'appelle Jeanine Charbonneau Beaubien et, comme toutes les femmes intelligentes, elle est un peu folle. «En 1957, je siégeais au conseil exécutif du Festival d'art dramatique du Canada, créé en1932 sous les auspices de Lord Bessborough. Cet événement, qui bénéficia des conseils éclairés de Vincent Massey pendant plusieurs années, stimula la création et la participation de groupes de théâtre amateur à travers le Canada et se révéla un excellent tremplin pour faire connaître les auteurs, comédiens, concepteurs, directeurs et techniciens de langue anglaise comme de langue française, tout en favorisant l'émergence d'un public pour le jeune théâtre à travers le pays.

«C'est grâce à ce festival que se feront connaître entre autres les Compagnons de Saint-Laurent, sous la dynamique direction du père Émile Legault, C.S.C., ainsi que des comédiens de cette compagnie, qui connurent plus tard une brillante carrière. Mentionnons parmi ces pionniers les noms de Jean Gascon, Jean-Louis Roux, Denise Pelletier, Jean Coutu, Georges Groulx et Françoise Faucher. J'ai également eu le plaisir d'interpréter quelques rôles magnifiques sous la direction du père Legault, dont la personnalité et le dévouement à la cause du théâtre ne cessèrent jamais de m'inspirer.

«À cette époque, le président de la section montréalaise de ce festival pancanadien était Claude Robillard, le directeur du Service des parcs de la Ville de Montréal. Outre mon intérêt pour le théâtre depuis ma plus tendre enfance, c'est-à-dire depuis l'âge de quatre ans, ma participation aux activités du Festival d'art dramatique du Canada consistait alors principalement à dénicher des commanditaires ainsi que des annonceurs pour les programmes souvenirs.

«Un soir, au cours d'une de ces réunions, j'expliquais que, pour la nième fois, j'avais arpenté les rues du Vieux-Montréal à la recherche d'un bâtiment ancien, de préférence en vieilles pierres, susceptible d'abriter éventuellement un théâtre.

«Mon cher Claude, je viens de passer la journée à la recherche d'un bâtiment ancien, de caractère, transformable en théâtre. Il est vrai que je dois chercher l'impossible. Quelque chose de paisible, où l'on souhaiterait se recueillir… Vous, qui connaissez les moindres recoins de notre ville, avez-vous quelques suggestions?

«Avez-vous fait le tour de l'île Sainte-Hélène? me répondit Claude Robillard d'un air malicieux.»[7]

Elle le fit et découvrit la grande Poudrière, dans la vallée des Ormes, au-dessus de la rivière Bienville.

Ce fut la naissance du théâtre international de Montréal. De 1958 à 1981, vingt-trois ans de théâtre en anglais, en allemand, en espagnol, en français, de mini-opéras, de spectacles de marionnettes, un bijou de pierre dans un écrin de verdure où la culture cosmopolite de Montréal s'exprimait et s'écoutait avec ravissement..

En 1981, la culture cosmopolite de Montréal n'était plus à l'ordre du jour des subventions gouvernementales.

Le restaurant Hélène-de-Champlain et en arrière la Biosphère

Hélène-de-Champlain

L a bonne dame qui fonda les Ursulines de Meaux après la mort de son
époux en 1635 ne se retrouverait probablement pas dans le chic restaurant qui porte son nom sur l'île que lui dédia son mari quelques mois
après son mariage.

La prière n'y est sans doute pas interdite, sauf que la mortification n'est pas
d'usage courant dans ce chic manoir de style normand, véritable sanctuaire
patrimonial québécois et français où les œuvres d'art regardent les dîneurs
déguster les scampis grillés à la provençale, les médaillons de veau panés aux
pistaches avec sauce porto et tombée d'épinards, ou l'escalopine de blanc de vo-
laille aux artichauts et crevettes. À moins que la brave religieuse se soit laissée
tenter par un craquelin d'escargots à l'ermite sur fondue de poireaux.

Hélène-de-Champlain fut construit dans la foulée des « travaux de la crise »
en 1938, contemporain, donc, de la tour de Lévis et du Chalet des baigneurs. La
pierre est la même, la brèche de diatrème, héritée des poussées montérégiennes
de l'ordovicien, et qui marie son rouge aux frondaisons de l'île sur fond de voile
atmosphérique fluvial.

De loin une des plus jolies constructions de l'île, elle fut d'abord le «Pavillon des sports», sans doute pour accueillir la clientèle nombreuse qui accourait à l'île pour se divertir aux plaisirs nautiques de l'été

Elle devint un assez chic restaurant de la ville de Montréal en 1955 avant de connaître la gloire d'être le pavillon d'honneur de l'Expo 67.

Alors, rien, mais rien de rien ne fut épargné pour qu'elle devienne la digne hôtesse des chefs d'États accourus de partout : tapisserie d'Aubusson, tapisseries de Damas, œuvres des Montréalais Robert Prévost et Robert Lapalme, lustres empruntés aux églises anciennes, cabines téléphoniques imitant d'anciens confessionnaux, tout le passé artistique québécois y est représenté dans une élégance aussi simple que recherchée où les plus grands collectionneurs se faisaient une fierté d'apporter un échantillon de leurs trésors.

Gisèle Laperrière et le restaurateur Pierre Marcotte

Un joyau, quoi! Tout auprès de la Biosphère dont elle épouse une remarquable préoccupation, la grandeur et le bon goût dans le respect d'une nature merveilleuse.

Une bulle

Comme tous les poissons du monde, les poissons du Saint-Laurent font des bulles, sauf que, sur les rives de l'île Sainte-Hélène, ils en ont fait une énorme, une gigantesque, pour nous rappeler qu'ils ont besoin de l'eau pour survivre, tout comme les violettes, les maringouins, les merles et les marmottes de l'île, et que l'eau est un milieu sacré que l'homme doit apprendre à respecter.

Les quatre principaux repères internationaux de Montréal ont été érigés au 20ᵉ siècle et sont tous des monuments religieux. La Croix lumineuse du Mont-Royal, 1925, consacre la fidélité des Montréalais à la foi des fondateurs de Ville-Marie. L'Oratoire Saint-Joseph, 1910, honore et implore l'autre pilier de la sainte Famille. Le mât du Stade olympique, 1976, célèbre la gloire d'une religion nouvelle, la sportive, et la Biosphère, 1967, est consacrée à une autre religion très vingtième siècle, l'Écologie.

Son concepteur, Buckminster Fuller, était lui-même un prosélyte de cette religion naissante, acharné qu'il était à faire le plus possible en utilisant le moins possible d'énergie et de matières premières. Avec sa Biosphère, Fuller a prouvé qu'il était possible de créer un espace habitable avec seulement le cinquantième

LE PAVILLON AMÉRICAIN DE L'EXPO 67, DEVENU LA BIOSPHÈRE.

des matériaux normalement utilisés dans un concept architectural conventionnel.

On reconnaît aujourd'hui que ce monument à la religion nouvelle a été érigé au milieu d'un massacre écologique. L'anguille, qui va pondre et mourir chaque année dans la mer des Sargasses, y a miraculeusement survécu, mais pas le bar, ni la flore indigène des lieux, anéantis par les insecticides et le remplissage. La bulle elle-même, malgré son idéale pureté, étalait le meilleur et le pire du tout USA.

Les choses ont bien changé et la Biosphère a retrouvé sa vocation originelle en devenant un monument à la gloire et à la santé de l'eau sur cette planète qui, en toute justice, devrait s'appeler Mer plutôt que Terre.

La bulle de vie est le centre d'animation du Réseau des observateurs de l'environnement qui regroupe des individus, des maisons d'enseignement, des municipalités, des organismes para ou non gouvernementaux, un réseau qui reçoit et retransmet une foule d'observations et de renseignements sur la santé des Grands Lacs, du Saint-Laurent et de leurs affluents, sur leurs habitants : poissons, mammifères, oiseaux, batraciens, végétaux et autres.

Et la bulle reçoit des milliers de visiteurs chaque année, attirés qu'ils sont instinctivement, viscéralement, par cette énorme et aimable structure que l'on voit de partout et qui n'est pas sans rappeler la molécule mère de toute vie connue, l'eau comme le grand O de H_2O.

Fleurissez, vous, Mesdames

Souvenez-vous de Pierre Lemoyne d'Iberville. Il naît sur la rue Saint-Paul, ici à Montréal, en face de l'île Sainte-Hélène où il va jouer tant qu'il peut, à force de rame avec ses frères. Puis, un jour, il devient soldat, marin corsaire, forban et il disparaît dans les brumes et les parfums de la Havane. Mais vous souvenez-vous de ses combats et de ses victoires à la baie d'Hudson et à la baie James, aux confins de la taïga et de la toundra, cet univers spongieux où le marcheur risque d'enfoncer jusqu'aux entrailles «et béni»?

Sans doute était-il écrit dans le ciel que d'Iberville ferait un autre cadeau à l'île Sainte-Hélène de son enfance et il le fit par un autre Pierre interposé, Pierre

Août 1980, les Floralies

JARDIN BOTANIQUE DE MONTRÉAL

CONFÉRENCE DE PRESSE DU MAIRE JEAN DRAPEAU À L'OUVERTURE DES FLORALIES DE MONTRÉAL

Bourque, alors horticulteur en chef du Jardin botanique de Montréal, ville dont le maire Jean Drapeau venait d'obtenir les Floralies internationales de 1980, les premières en terre d'Amérique. Et c'est ainsi que deux tourbières de la baie James furent découpées à la scie mécanique en plein hiver, par quelque -50 °C, débitées en blocs d'un mètre cube et transportées à l'île Notre-Dame, récente jumelle de Sainte-Hélène, pour y révéler l'étrange tapis de ses mousses, de nos grands espaces nordiques et des plantes étranges qui y vivent,. plantes insectivores parfois, comme la drosère et la sarracénie, qui ne disputent pas vraiment la place des roses ou des bégonias sur les tables de salons, ou comme la linaigrette qui balance au vent son bouquet de barbe-à-papa.

Simple curiosité?

Immense réussite qui fit ressortir différence entre les valeurs floristiques de la nature et de l'horticulture.

La tourbière attira quelques canards qui élevèrent leur couvée et des milliers de visiteurs étonnés de voir le nord du pays soudain jumelé aux splendeurs de tous les jardiniers accourus. Elle ne vola la vedette à aucun rosiériste de renom et elle n'empêcha aucune dame de cueillir, ici ou là, alors que c'était interdit, un brin de muguet, une grappe de lilas, ou de s'émouvoir devant la splendeur des plates-bandes d'annuelles et de vivaces qui ont coloré et parfumé l'île pendant tout un été.

Fut-il jamais moment plus merveilleux que celui de ces Floralies internationales où les colibris nous sifflaient aux oreilles en allant butiner les passeroses?

Je me sentais encore jeune et je marchais parmi les jardins du monde en comptant mes heures de bonheur devant ces jardins de toute la planète qui, éhontés, nous fleurissaient en pleine face avant même que les géraniums de nos balcons aient ouvert un soupçon de floraison au-dessus des bicyclettes de Stéphanie et de Julien, cadenassées à la rampe de l'escalier.

Il y aurait un grand livre à écrire sur le nom des visiteuses odorantes de cet été, mais j'étais tellement prise à lire leur nom sur le guide que je tenais en main que, j'en suis certaine, des centaines ont fleuri à mon insu dans ces matins de l'île Notre-Dame où la brume et la rosée leur disaient qu'il était temps d'éclore.

LA TOURBIÈRE DE LA BAIE JAMES

Le jardin du Québec (en haut) et celui de la France.

L'ANCIEN PAVILLON DE LA FRANCE DEVENU LE CASINO DE MONTRÉAL.

Qui perd gagne

La France, qui fut la mère première de notre pays, vint nous construire ici l'un des plus beaux pavillons de l'Expo 67 et son président, Charles de Gaulle, vint nous y faire ce que d'aucuns considèrent comme le plus grand compliment et d'autres, le plus grand affront de notre histoire quand il quitta l'île Sainte-Hélène pour rentrer à Montréal et, du balcon de l'hôtel de ville, s'écrier : Vive le Québec libre !

Le pavillon de la France est resté dans l'île Notre-Dame, y servant à de multiples usages jusqu'à ce qu'il devinne casino.

Bénédiction ? Malédiciton ? Il n'y a pas de réponse exacte, un peu comme pour le mot de de Gaulle.

Mon ami Claude y a gagné quelques milliers de dollars dans un petit après-midi et n'y est jamais retourné

Mon ami Michel y a gagné dix mille dollars qu'il y a perdu ensuite. Il s'est alors présenté aux autorités pour leur demander de ne plus jamais l'y admettre. D'autres que lui font de même, mais se déguisent le lendemain pour entrer sans être reconnus. Michel n'a jamais fait ça. Il est allé au casino de Hull !

Le casino a fière allure avec son architecture fantasque, bien entouré de fleurs, majestueux parmi les parterres et les canaux qui sillonnent l'île Notre-Dame.

J'y étais une fois avec ma famille, juste pour revoir les lieux de l'Expo, des Floralies, et je fus étonné d'y voir des poignées de gendarmes diriger la circulation comme si un chef d'État étranger était en visite spéciale. Les agents étaient distraits, peut-être, car je me dirigeais suivant leurs directives quand j'arrivai devant un garage souterrain et que deux d'entre eux se précipitèrent vers mon automobile où un enfant jouait sur la banquette arrière.

— Mais où allez-vous?

— Je me promène pour regarder les lieux!

— Mais, Monsieur, vous allez entrer au stationnement souterrain du casino!

— Pourquoi y-a-t-il tant de policiers?

— Parce que c'est le casino?

— Y-a-t-il eu un hold-up?

— Monsieur, faites demi-tour immédiatement. Je communique avec un camarade en haut de la côte qui vous dirigera vers une voie d'évitement!

Charmant casino de Montréal!

Vroum-Vroum

L e premier grand prix automobile de Montréal eut lieu en 1978, mais on en parlait depuis plus de vingt ans, sauf qu'on avait suggéré de le tenir dans l'île Sainte-Hélène, plutôt que chez son annexe sœur de Notre-Dame.

Le premier succès ne s'est jamais démenti et l'horrible cacophonie revient chaque année avec ses voitures rutilantes et vrombissantes, avec son rodéo d'aficionados de tout pays et d'ici même, qui s'orgasment quelques jours durant dans une orgie de couleurs, de démonstrations, de prouesses et de libations, tandis que des petits hommes bleus, rouges ou verts, en combinaison ignifuge, s'acharnent dans les puits à calibrer des huiles, à vérifier des boulons, à changer des pneus en moins de temps qu'il n'en faut pour changer d'idée, devant des estrades où les *very important persons* dégustent du homard Thermidor en choux, du crabe au beurre blanc sur barquettes où des cailles farcies à l'oseille enveloppées d'une feuille de laitue, tandis que le bas peuple, souvent réuni derrière les clôtures depuis la veille avec ses sacs de couchage, ses caisses de bières et ses sandwiches aux œufs, hurle de rage à chaque passage d'un bolide qui fait *zoom* et dont on se demande de qui il est, dans l'attente d'une collision où les mécaniques péteront en l'air comme des boules de feu, avec des pilotes éjaculés dans le mur de pneus qui borde les courbes et d'où le nec plus ultra de la corrida, le *gran finale* est de s'asperger au champagne sur le podium, par-dessus les combinaisons également ignifuges des vainqueurs.

Une pluie de millions de dollars retombe alors sur Montréal.

Une folie totale, comme il n'en vient qu'à la race humaine, dans le simple et paisible décor du Saint-Laurent, qui coule sans bruit, entre les îles, au milieu de l'hécatombe médiatique.

Il faut relire, dans *Sun also rises,* comment Hemmingway a décrit la *feria* de la *San Firmin* à Pampelune.

Tout le monde en l'air

Tournent et tournent les manèges. «Mon premier baiser sur les chevaux de bois», chantait Pierre MacOrlan. Tout est encore possible sur les chevaux de bois, mais pas dans «La Pitoune» qui éclaboussait ses passagers dans des cascades savamment escarpées pour arroser les adultes de tous âges, qui s'en seraient bien passé, au grand plaisir des enfants.

Puis sont venues les glissades d'eau, vertigineuses à souhait sans être trop confortables pour les coussins naturels d'un chacun.

On y perd son latin et son argent dans les installations toujours plus hautes, plus tordues, plus vrombissantes qui font de La Ronde un des grands parcs d'amusement au Canada.

Avec le Casino et le circuit de formule un de l'île Notre-Dame, c'est un endroit de perdition plein de cris et de rire.

— Papa, je veux y retourner.

— Mais tu hurlais de peur, ma petite chérie!

— Oui, parce que j'adorais ça!

— Ah! bon.

Photo: Danyel Thibeault

Page précédente: le parc d'attractions de La Ronde et, au fond, le stade olympique.
Ci-dessus: la magie des feux d'artifice à La Ronde

Et l'on recommence, avec une crème glacée par-ci, une barbe-à-papa par-là, jusqu'à ce que l'étourdissement commence à amocher les mollets et que l'odeur des hot-dogs ait raison des exploits de la haute voltige.

Alors, on rentre à la maison en regardant encore ces constructions abracadabrantes qui voisinent les hauteurs du pont Jacques-Cartier et l'on se dit, ma foi, que l'île Sainte-Hélène et ses voisines auront connu toutes les trépidations que l'histoire peut offrir, d'un simple pique-nique, d'une chasse aux papillons jusqu'au sourire des enfants émerveillés qui descendent de la grande roue en tenant leur maman par la main et en disant :

-J'ai pas eu peur !

Faune et flore

Il y a longtemps que les scientifiques s'intéressent à la faune et à la flore de l'île Sainte-Hélène. Les Le Moyne en premier, qui y importèrent mûriers et sassasfras.

Mais aujourd'hui, on ne sait plus très bien qu'en dire tellement l'homme a tripoté le sol à des fins diverses, militaires, éducatives, récréatives.

En 1876, MM. Auguste Achintre et J.-A. Crevier ont publié un opuscule qui est tout bonheur de lire : « L'île Ste. Helene, passé, présent et avenir. Géologie, paléontologie et Faune »[8]. Ils écrivent notamment : « La flore de l'île Ste Hélène n'offre à proprement parler, rien de remarquable, ni rien qui lui soit spécial. […] Ses espèces arborescentes ainsi que ses plantes se trouvent dans tous les lieux de la province ; et si nous nommons ici des individus appartenant à quelques familles, c'est à cause de leur abondance relative dans l'île et parce que chaque promeneur en les reconnaissant, pourra, grâce à cette nomenclature, leur appliquer la dénomination scientifique, les noms français et anglais, et prendre ainsi, sans fatigue, une leçon de botanique à la fois instructive et amusante. » Suivent onze pages de nomenclature qui leur donnent parfaitement raison, les érables et les ormes dominant les pruniers, les pommiers et les vinaigriers qui dominent eux-mêmes les pissenlits et les verges d'or.

Pour la faune, les auteurs ne sont pas beaucoup plus loquaces. «Il nous suffira de dire qu'en comprenant les espèces vivant dans les eaux qui entourent l'île, les oiseaux qui, traversant les airs, peuvent se reposer dans ce pied à terre verdoyant, l'on arrive au chiffre respectable de 4 391 espèces. Si l'on ajoute à ce nombre 600 plantes, 200 fossiles et cent minéraux, on atteint le nombre de 5 859 objets d'histoire naturelle. Ensuite vient la liste des marmottes, des écureuils, des suisses, des taupes, des hiboux, des pics, de l'oiseau-mouche, de l'engoulevent, de la couleuvre, de la grenouille, des sauterelles, de la coquerelle et quoi encore?

Plus près de nous, l'éminent botaniste Ernest Rouleau a publié «La florule de l'île Sainte-Hélène»[9] en 1945. Ce serait sans doute l'ouvrage définitif sur le sujet si un événement comme les Floralies internationales de 1980 n'était intervenu depuis pour introduire combien de nouvelles espèces qui ont peut-être proliféré. Mais hors des plates-bandes protégées on ne s'attend à guère de surprises et les amants d'histoire naturelle ont tout loisir d'effeuiller la marguerite sous l'œil toujours coquin des marmottes, des écureuils, des suisses et des pique-niqueurs.

Terminée la promenade

Et oui, voilà, c'est terminé! Terminée la promenade, terminé le tour de l'île. Non pas qu'il n'y ait rien d'autre à raconter, mais encore faut-il laisser à chacun le plaisir de ses propres découvertes, sur les lieux mêmes ou dans les livres et les documents qui racontent cette merveilleuse histoire d'une petite île, sise tout simplement en face d'une plus grande et qui la regarde depuis tant de siècles qu'elle sait tout de sa grande voisine, qu'elle en garde de précieux souvenirs dans son Musée et qu'elle garde aussi le souvenir de milliers de gens qui viennent s'y promener pour se reposer de l'autre.

Vous avez apprécié le déplacement, j'espère.

Sinon, refaites-le vous-mêmes, comme la vieille dame que je suis et qui s'était prise de curiosité, d'amour, pour cette longue histoire.

Retirons-nous sans faire de bruit, en regardant les images, en sachant que l'île est toujours là.

Tranquille et bruyante.

Selon les années.

Selon les saisons.

C'est effrayant comme elle nous ressemble, fille du fleuve, de ce qu'il génère, de ce qu'il emporte et de ce qu'il nous laisse.

L'auteur remercie Mme Gisèle Laperrière et M. Jacques Cayouette pour la documentation qu'ils lui ont fournie.

Notes

1   *Région de Montréal,* Rapport géologique – 152, T.H. Clark, ministère des Richesses naturelles, Québec, 1972.

2   *Histoire du Montréal,* 1640- 1672, Dollier de Casson, Archives du Québec.

3   Archives nationales du Québec à Montréal, greffe de Jean-Bte Adhémar, reproduit dans *Cahiers Gen-Histo,* n° 3, septembre 1980.

4   *Voyage de Pehr Kalm au Canada en 1749,* traduction annotée du journal de route par Jacques Rousseau et Guy Béthune avec le concours de Pierre Morisset, Pierre Tisseyre, le Cercle du Livre de France, Montréal, 1977.

5   *Chronologie du Québec,* Jean Provencher, les Éditions du Boréal, Montréal, 1991.

6   *L'île Sainte-Hélène,* Paul Gauthier, archiviste en chef à l'hôtel de ville de Montréal, causerie prononcée devant les membres de la Société des traducteurs de Montréal, le 28 septembre 1963.

7   La Poudrière réincarnée, Jeanine Charbonneau Beaubien, Méridien, Éditions du Méridien, Montréal, 1997.

8   *L'Ile Ste. Helene. Passé, présent et avenir. Géologie, paléontologie, flore et faune.* Édition ornée de quatre gravures et d'une carte de l'île, par MM. A Achintre & J.A Crevier, M.D. Montréal, des Ateliers du Journal Le National, 1876.

9   *La florule de l'île Sainte-Hélène,* Ernest Rouleau, M.Sc., Université de Montréal, Institut botanique, Montréal, 1945.

Du même auteur

RÉCITS, ROMANS, POÉSIE

JE VOULAIS TE PARLER DE JEREMIAH, D'OZÉLINA ET DE TOUS LES AUTRES…, HMH, 1967,
   Libre Expression, 1994.

LES HIRONDELLES, HMH, 1973 ; Libre Expression, 1995.

CAP-AUX-OIES, Libre Expression, 1980, et 1991 en édition illustrée.

GIRIKI ET LE PRINCE DE QUÉCAN, Libre Expression, 1982.

MONTRÉAL BY FOOT, Les Éditions du Ginkgo, 1983.

OKA, Les Éditions du Ginkgo, 1987.

PROMENADES ET TOMBEAUX, Libre Expression, 1989, et 1996 en édition illustrée.

GABZOU, Libre Expression, 1990.

L'ÎLE AUX GRUES, Libre Expression, 1991.

LISE ET LES TROIS JACQUES, Libre Expression, 1992.

GÉOGRAPHIE D'AMOURS, Libre Expression, 1993.

BONJOUR, CHARLES! , Libre Expression, 1994.

LE FLEUVE, Libre Expression, 1995.

LADICTE COSTE DU NORT, Libre Expression, 1996.

STORNOWAY, Libre Expression, 1996.

LES TERRES ROMPUES, Libre Expression, 1997.

CHÈRE CHAIR, Libre Expression, 1998.

LES MONTÉRÉGIENNES, Libre Expression, 1999.

HIVERS, Libre Expression, 1999.

LES ESCAPADES DE JEAN O'NEIL, Libre Expression, 2000.

LE LIVRE DES PROPHÈTES, Libre Expression, 2000.

LE ROMAN DE RENART, Libre Expression, 2000.

ENTRE JEAN, correspondance avec Jean-Paul Desbiens, Libre Expression, 2001.

COLLECTIFS

POÈMES, dans *Imagine...*, science-fiction, littératures de l'imaginaire, n° 21 (vol. V, n° 4), avril 1984.

LE TEMPS D'UNE GUERRE, récit, dans *Un été, un enfant*, Québec/Amérique, 1990.

L'AMOUR DE MOY, récit, dans *Le Langage de l'amour*, Musée de la Civilisation, 1993.

GILLES ARCHAMBAULT, collection Musée populaire, Éditions Ciel d'images, Québec, 1998.

LES ESCALIERS DE MONTRÉAL, album photographique de Pierre Philippe Brunet, Éditions Hurtubise HMH, Montréal, 1998.

MONTRÉAL, album photographique de Pierre Philippe Brunet, Éditions Hurtubise HMH, Montréal, 2000.

THÉÂTRE (NON PUBLIÉ)

LES BONHEURS-Z-ESSENTIELS, Théâtre de l'Estoc, 1966.

LES BALANÇOIRES, Théâtre de Quat'Sous, 1972.